★この作品はフィクションです。実在の人物・
団体・事件などには、いっさい関係ありません。

JUMP COMICS
咲《さ》きし夢《ゆめ》
3
動乱《どうらん》
DoHRAN
原作《げんさく》:松元《まつもと》 桜《さくら》
漫画《まんが》:大賀浅木《おおがあさぎ》

あらすじ——

天下覇権《てんかはけん》を巡《めぐ》る大乱《たいらん》が、徳河家保《とくがわいえやす》と死羽根十《しにばねじゅう》二将《にしょう》の出現《しゅつげん》で終《お》わりを告《つ》げた。だが、死羽根《しにばね》十二将《じゅうにしょう》は家保《いえやす》を殺害《さつがい》し、この国《くに》を支配《しはい》。圧政《あっせい》により民《たみ》は再《ふたた》び苦《くる》しめられる。そんな中《なか》、父《ちち》と共《とも》に殺《ころ》されたはずの息子《むすこ》・動乱《どうらん》が、十三番《じゅうさんばん》目《め》の羽根《はね》『鳳凰紅蓮《ほうおうぐれん》』を携《たずさ》え、帰《かえ》ってきた。それを知《し》った死羽根衆《しにばねじゅう》は、利人《リヒト》、虎兒《トラジ》と次々《つぎつぎ》と刺客《しかく》を送《おく》る。だが、動乱《どうらん》も民《たみ》の笑顔《えがお》を取《と》り戻《もど》す為《ため》に立《た》ち向《む》かう——。
利人《リヒト》、虎兒《トラジ》を倒《たお》し、剣《はね》を進化《しんか》させた動乱《どうらん》の前《まえ》に、さらなる刺客《しかく》が立《た》ちはだかる。闘魔《トーマ》、暮葉《クレハ》、流雲《リュウウン》の三人《さんにん》を相手《あいて》に戦《たたか》う動乱《どうらん》だが、剣《はね》を破壊《はかい》され希望《きぼう》を失《うしな》う。そこにかつての師《し》・伴蔵《はんぞう》が現《あらわ》れ、「まだ策《さく》はある」と告《つ》げ、動乱《どうらん》を救《すく》い出《だ》すのだった——。

死羽根《しにばね》とは——

天神《あまつがみ》より授《さず》けられし神刀《しんとう》。体内《たいない》に宿《やど》し、それぞれ、影《かげ》、焔《ほのお》、氷《こおり》などの属性《ぞくせい》を持《も》つ。さながら死《し》の羽根《はね》を生《は》やした様《よう》な姿《すがた》から”死羽根《しにばね》”と呼《よ》ばれる。全部《ぜんぶ》で十二《じゅうに》のはずだったが、最後《さいご》の一振《ひとふ》りを動乱《どうらん》が手《て》にしていた。

徳河家保《とくがわいえやす》

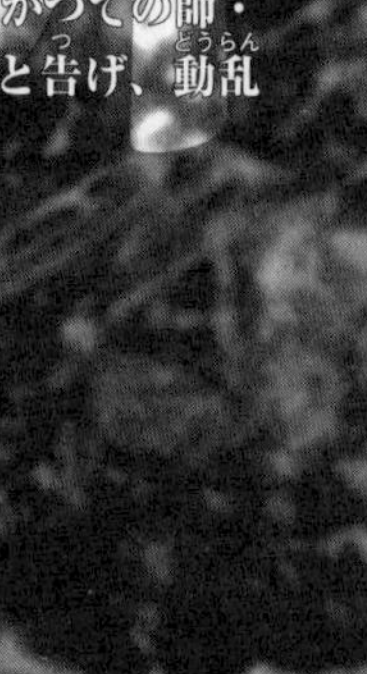

長《なが》きに渡《わた》る戦乱《せんらん》の時代《じだい》を死羽《しにば》根十二将《ねじゅうにしょう》と共《とも》に治《おさ》めた。しかし、空《カラ》の裏切《うらぎ》りに遭《あ》い、志半《こころざしなか》ばにして、命《いのち》を落《お》とす。

死羽根十二将

しにばねじゅうしょう

流雲　暮葉　　　　　　　　　　　　　　　　　　　空
りゅううん　　　　　　　　　　　　　　　　　　　　　　　　　　　　　そら

利人　虎兒　闘魔　　　時村
とひと　こじ　とうま　　ときむら

万の軍勢をも斬り払う力で、終わる事のない大乱を治めた剣士。だが、
まん　ぐんぜい　　き　はら　ちから　　お　　こと　　　たいらん　おさ　けんし
今はその力で八魔部の国を支配し、中央領・江怒を守る為、江怒城に結
いま　　ちから　はちまぶ　くに　しはい　ちゅうおうりょう　えど　まも　ため　えどじょう　けっ
界を張る役目を担っている。
かい　は　やくめ　にな

伴蔵
はんぞう

10年前、死羽根衆と
ねんまえ　しにばねしゅう
共に戦った徳河忍軍
とも　たたか　とくかわにんぐん
の長。死んだと思わ
おさ　し　おも
れていたが、動乱を
どうらん
拾い、育てていた。
ひろ　そだ

杏奈
あんな

十二番目の死羽根・利
じゅうにばんめ　しにばね　り
人に両親を殺される。
ひと　りょうしん　ころ
だが、動乱と出会い、
どうらん　であ
彼の生き方に共感し、
かれ　い　かた　きょうかん
旅を共にする、勝気な
たび　とも　かちき
少女。
しょうじょ

動乱
どうらん

笑顔の咲き誇る国を造る為、死羽根衆
えがお　さ　ほこ　くに　つく　ため　しにばねしゅう
に立ち向かう、徳河家の御曹司。十三
た　む　とくかわけ　おんぞうし　じゅうさん
番目の羽根"鳳凰紅蓮"を持つ。普段
ばんめ　はね　ほうおうぐれん　も　ふだん
の姿はお調子者の大道芸人。
すがた　ちょうしもの　だいどうげいにん

動乱

DOHRAN

3

咲《さ》きし夢《ゆめ》

薬草《やくそう》入《い》り雑炊《ぞうすい》だ
喰《く》え
ドーーン
ぐう
ぐう
第《だい》七話 運命《さだめ》の焔《ほむら》
ずーん
ゴポッ
体力回復《たいりょくかいふく》滋養強壮《じようきょうそう》の薬草《やくそう》やらキノコやらその他《ほか》もろもろをブチ込《こ》んだ今夜《こんや》もギンギン♡伴蔵雑炊《はんぞうぞうすい》だ
何《なに》かの実験《じっけん》ですか?
何でアタシまで…
ぎゃーーいったーー!!
ぐおーーっ
こんな所《ところ》で立《た》ち止まってられっか
オレは一刻《いっこく》も早《はや》く

笑顔《えがお》の咲《さ》き誇《ほこ》る国《くに》を創《つく》らなきゃなんねえんだ
ズン!
それを願《ねが》う奴《やつ》らのためにも!!
……動乱《どうらん》…
ぎゃっはっはっはっ
はっはっはっはっ
はっはっはっはっ
ど…動乱《どうらん》…?
はっはっはっはっ
はっはっはっはっ
ぎゃっひゃっひゃっひゃっひゃっ
ひゃっひゃっひゃっ
おげーーー
って おーい
おかしな事《こと》になってんじゃねえか!!
伴蔵《はんぞう》さんちょっと…
ぶあっひゃっひゃっひゃっ
伴蔵《はんぞう》さん!?
ぶあーっはっはっはっ
わー誰か
ぎゃーっはっはっはっ

笑顔《えがお》の咲《さ》き誇《ほこ》る
国《くに》を創《つく》るため――
それは
十年前《じゅうねんまえ》まで遡《さかのぼ》る――
未来永劫《みらいえいごう》に
続《つづ》くと思《おも》われた
大乱《たいらん》が――
敵衆《てきしゅう》を
谷《たに》へ集《あつ》めた
上総《かずさ》っ
ワー
ワー
ザッ

ブァ
もうじき
終《お》わる…
一振《ひとふ》りで
万《まん》の軍《ぐん》を
一掃《いっそう》とは
流石《さすが》
羽根衆《はねしゅう》の長《おさ》
ゴオオオ…
空様《カラさま》
お見事《みごと》です

徳河軍《とくがわぐん》本陣《ほんじん》
我《われ》らの天下統一《てんかとういつ》まであと一息《ひといき》となった
これもひとえに羽根衆《はねしゅう》を筆頭《ひっとう》として皆《みな》の尽力《じんりょく》があったからこそ
心《こころ》から
礼《れい》を言《い》う
わくわく

若《わか》っ またその様《よう》な所《ところ》で
うおっ
お前《まえ》は…
戦《いくさ》を見《み》とけって言《い》ったのは父上《ちちうえ》だろ——
軍議《ぐんぎ》まで入《はい》ってこいとは言《い》っておらん
けれど天下統一《てんかとういつ》を果《は》たしたとして
人《ひと》の歴史《れきし》は 戦《いくさ》の歴史《れきし》
本当《ほんとう》に争《あらそ》いの無《な》い真《しん》の平和《へいわ》は来《く》るのでしょうか
コウタはいっつも厳《きび》しいのぉ
僕《ぼく》はっただ思《おも》った事《こと》を言《い》っただけです
まあ良《よ》い良《よ》い
某《それがし》は
わっ
ひょい

家保《いえやす》公《こう》と
若君《わかぎみ》ならば
決《けっ》して揺《ゆ》らぐ事《こと》のない
真《しん》の泰《たい》平《へい》の世《よ》を
創《つく》る事《こと》が出来《でき》ると
思《おも》っております
なら 拙者《せっしゃ》も
そう願《ねが》いを込《こ》めて
戦《いくさ》が終《お》わった
あかつきには
手下《こいつら》共を
汚《よご》れ仕事《しごと》から
解放《かいほう》して
やりてぇな
何《なに》も隠《かく》さず
誰《だれ》からも逃《に》げず
ただ普通《ふつう》に
家族《かぞく》と共《とも》に
幸《しあわ》せになって
もらいてぇ
伴蔵様《はんぞうさま》…
ああ
平和《へいわ》の世《よ》では
光《ひかり》の下《もと》で生《い》きてほしい
お前達《まえたち》のためにも
私《わたし》は二度《にど》と戦《いくさ》のない
国《くに》を創《つく》るよ
だばー
ぐすっ ぐすっ

その際《さい》には
羽根《はね》衆《しゅう》の持《も》つ羽根剣《はねけん》も天神《あまつがみ》に返《かえ》すつもりだ
いずれにも十二分《じゅうにぶん》に禄《ろく》は与《あた》える
長《なが》い間《あいだ》ご苦労《くろう》であった
羽根《はね》…天神《あまつがみ》より与《あた》えられし神刀《しんとう》羽根剣《はねけん》…
若《わか》
これは大切《たいせつ》なお守《まも》りでございますしっかり胸《むね》にしまわれますよう
十三番目《じゅうさんばんめ》の羽根《はね》…

何故《なぜ》 若君《わかぎみ》に十三番目《じゅうさんばんめ》の羽根《はね》を？
羽根《はね》は十三《じゅうさん》の玉《たま》で与《あた》えられ 十三番目《じゅうさんばんめ》の玉《たま》だけは振《ふ》るえる力《ちから》を持《も》つ者《もの》の前《まえ》でのみ 光《ひかり》を放《はな》つと天神《あまつがみ》に言《い》われたのだ
ちなみにあの十二人《じゅうににん》の前《まえ》では玉《たま》は光《ひか》らなかった
ところが赤子《あかご》だったあやつの前《まえ》でのみ
十三番目《じゅうさんばんめ》の玉《たま》は輝《かがや》いたのだ
それが何《なに》を意味《いみ》するかわからぬが
常《つね》にあやつと共《とも》にあるのはそれが理由《りゆう》だ

空《カラ》は 戦《いくさ》が終《お》わったら どうするの？
徳河軍《ここ》に来《き》た 時《とき》より この命《いのち》は
家保公《いえやすこう》と
若君《わかぎみ》のものです
戦《いくさ》が終《お》わりし後《のち》も この命《いのち》 滅《ほろ》ぶまで 貴方様《あなたさま》に捧《ささ》げます
泰平《たいへい》の世《よ》となり 羽根《はね》の無《な》い私《わたし》でも
お側《そば》に居《い》る事《こと》を 許《ゆる》して下《くだ》さるのならば…
ですが

当《あ》たり前《まえ》だよ!!
皆笑顔《みんなえがお》で
ずっと
一緒《いっしょ》だ
同《おな》じ想《おも》い
同《おな》じ夢《ゆめ》
これが平和《へいわ》と言《い》うのだろう
このあたたかい空気《くうき》が世界《せかい》へ広《ひろ》がる
もうすぐ…

謀《む》反《ほん》だアアア
どうした!?
羽《は》根《ね》が…
羽《は》根《ね》衆《しゅう》がっ
謀《む》反《ほん》を!!
ザザッ!!
城内《じょうない》の者《もの》は全《すべ》て
羽《は》根《ね》衆《しゅう》の手《て》に…
な…っ
一体《いったい》 誰《だれ》がっ
利人《リヒト》か!?
闘魔《トーマ》か!?
空《カラ》は!?
空《カラ》はどこへ
全員《ぜんいん》ですよ

我《われ》ら羽根衆《はねしゅう》は大乱終結《たいらんしゅうけつ》をもって徳河家保《とくがわいえやす》の手《て》より離《はな》れ
羽根衆《はねしゅう》 長《おさ》 上総《かずさ》 空《カラ》の完全《かんぜん》なる配下《はいか》となりました
………
何《なに》…言《い》って…
貴方達《あなたたち》に神《かみ》の祝福《しゅくふく》がありますように

はっ
はっ
はっ
はっ
はっ
はっ
ぐっ
…っ
すまねえっ
皆《みんな》…
空《カラ》は
家保公《いえやすこう》と
若君《わかぎみ》と共《とも》に
花岸《かがん》の丘《おか》に
おります
ワァァッ

ここは我々《われわれ》にお任《まか》せ下《くだ》さい
伴蔵様《はんぞうさま》は若君達《わかぎみたち》の下《もと》へ
ザザッ
お前《め》ら…
お早《はや》く!!
オオオォォ
お前《め》えらのためにもっ
家保公《いえやすこう》と若君《わかぎみ》だけは…!!
ザザザ
ア!!
や
め
ろオ

ボ

ずっと一緒《いっしょ》だ
うわあああ
起《お》きたか

……
はんぞ……ここは…
拙者達《せっしゃたち》の隠《かく》れ里《ざと》だ
しばらくはここに身《み》を隠《かく》す
その間《あいだ》の面倒《めんどう》はこの 心乃《ここの》が見《み》てくれる
あ 心乃《ここの》と申《もう》します よろしく…す
ポソポソ
こんな所《ところ》に居《い》られねぇ オレは帰《かえ》る
帰《かえ》る？ どこに
城《しろ》に決《き》まってんだろ
皆《みんな》待《ま》ってる オレは帰《かえ》る
……
お前《まえ》に帰《かえ》る場所《ばしょ》はねぇ 待《ま》つ者《もの》も居《い》ねぇ

城《しろ》は完全《かんぜん》に羽根《はね》…死羽根《しにばね》の手《て》に落《お》ちた
表面上《ひょうめんじょう》は家保公《いえやすこう》もお前《まえ》も生《い》きてる事《こと》になってるが
徳河家保《とくがわいえやす》の名《な》の下《もと》この国全土《くにぜんど》を支配下《しはいか》におきやがった
圧倒的《あっとうてき》な力《ちから》と恐怖《きょうふ》による支配《しはい》空《カラ》にはそれが望《のぞ》みらしい
……
空《カラ》…っ
でたらめ言《い》うな
何《なに》…？

父上《ちちうえ》は生《い》きてる
空《カラ》も 羽根達《はねたち》も 皆《みんな》 何《なに》も悪《わる》い事《こと》なんかしてない
…目《め》の前《まえ》で父君《ちちぎみ》が殺《ころ》されたのは幻《まぼろし》じゃない
我《われ》らは謀《はか》られたんだ
ウソだ
皆《みんな》っ 皆一緒《みんないっしょ》に戦《たたか》ってきたんだ!! 二度《にど》と戦《いくさ》のない国《くに》を創《つく》ろうって
若《わか》
若《わか》 落《お》ち着《つ》け
皆一緒《みんないっしょ》に…っ 皆《みんな》がオレを待《ま》ってる オレは

皆《みんな》……
ズ…
騒《さわ》ぎだしたら
力《ちから》づくで
寝《ね》かせろ
そっ
そんな…
今《いま》はそれしか
方法《ほうほう》はねえ…

よっ 心乃《ここの》ちゃん 若君《わかぎみ》は元気《げんき》かい？
仙三《せんぞう》さん 太さん
……
とれたてのイモだからよ ふかして食《た》べてくれよ
ぺこ ぺこ
ああっ ありがとうございますっ
若君《わかぎみ》に早《はや》く元気《げんき》になって
もらわないとね

ほこほこ
お口《くち》にあうかわかりませんけど
まずい
むかしむかしあるところに
うるさい
そうですか 息子達《むすこたち》は皆《みな》…
…すまぬ
いえ 伴蔵様《はんぞうさま》や若君《わかぎみ》をお守《まも》りできたのです… 息子達《むすこたち》も本望《ほんもう》だったと思《おも》います
これから… いかがなさるおつもりで…？
謀反《むほん》を知《し》っている 拙者《せっしゃ》には いずれ 追手《おって》がかかる
その前《まえ》に 若《わか》を逃《に》がす

奴等《やつら》は若《わか》は死んだと思《おも》っているその隙《すき》に…
……
その後《あと》は…？
どうにもならぬ
死羽根衆《しにばねしゅう》は神《かみ》の力《ちから》を与《あた》えられた超人《ちょうじん》
神刀《しんとう》 羽根剣《はねけん》は羽根剣《はねけん》の力《ちから》でしか滅《ほろ》ぼせん
伴蔵様《はんぞうさま》の力《ちから》でも…ですか？
歳《とし》の若《わか》い死羽根《しにばね》なら何《なん》とかなるかもな
だが
空《カラ》には勝《か》てん

あれはすでに超人《ちょうじん》をも超《こ》えている
……
これから
この国《くに》はどうなるのでしょうか…
……
若様《わかさま》っ
たたっ

よかった
いらっしゃらないからお捜《さが》ししま
皆《みんな》笑《わら》ってる
え？
私達《わたしたち》は定住《ていじゅう》の地《ち》をもたない流浪《るろう》の忍《しのび》でした
家保様《いえやすさま》にお仕《つか》えする事《こと》で
皆《みんな》笑《わら》える様《よう》になったんです
あの方《かた》は全《すべ》ての者《もの》に安《やす》らぎを与《あた》えて下《くだ》さる方《かた》だったんですよ
だった？
あっ
すみませっ あ…無神経《むしんけい》でした ついっ…いえ
父上《ちちうえ》だけじゃない

空《カラ》や虎兄《トラに》ぃ 羽根《はね》の皆《みんな》や 伴蔵《はんぞう》 忍《しのび》のおっちゃん 侍達《さむらいたち》
皆《みんな》で一緒《いっしょ》に誓《ちか》った夢《ゆめ》だ
この国《くに》を沢山《たくさん》の笑顔《えがお》が咲《さ》き誇《ほこ》る国《くに》にしようって
皆《みんな》で約束《やくそく》したんだ

ドォオオオーン!!
オオオオ・・・
!?
バババッ
おこん
あやめ
ゴウォ!!
わあああ
ダッ
ドン

服部伴蔵正也《はっとりはんぞうまさなり》と
その一族《いちぞく》に告《つ》ぐ
貴様等《きさまら》の徳河家《とくがわけ》に
対《たい》する反逆《はんぎゃく》は
露見《ろけん》しておる
なんだと
皆殺《みなごろ》しにせよっ!!!
ドオオオオッ
ドオオオオ…
……
空《カラ》の追手《おって》だァ!!
ワァッ

ギャアァァァァァァァ
わあぁ
ぎゃあぁぁ
ゴォオオオォ
ドゴォオオオオオ
ぎゃあぁ
何《なに》をしている
お前《めえ》ら
すぐに逃《に》げろ!!
伴蔵様《はんぞうさま》っ
若《わか》
おい
若《わか》!!
うそだ
こんな
…

ちゃんと目《め》ぇあけやがれ!!
これがっ現実《げんじつ》なんだよ…
もう帰《かえ》る場所《ばしょ》など無《な》い
もう皆《みんな》の夢《ゆめ》は
終《お》わったんだよ
行《い》け 心乃《ここの》
ドドッ
あっ
伴蔵様《はんぞうさま》もっ
そのお体《からだ》では

だがな
夢《ゆめ》の欠片《かけら》でも
残《のこ》しておきたい
ものだ
自分《じぶん》たちが
生《い》きた証《あかし》にな
お前《まえ》がそれだ
生《い》き延《の》びろよ
若《わか》
伴蔵《はんぞう》は
居《い》たか
いや
奴《やつ》め
まさか逃《に》げて
逃《に》げも
隠《かく》れもしねーよ

出《で》たぁ 居《い》たぞ 伴蔵《はんぞう》だ
殺《ころ》せ 殺《ころ》せェ
ドドーン!!
ああ 来《こ》いよ でも ただじゃ 死《し》なねぇぞ
お前等全員《まえらぜんいん》 死出《しで》の 道連《みちづ》れだ

放《はな》せっ
放《はな》せよ!
いけません 若様《わかさま》
オレ一人《ひとり》で逃《に》げられるかー!!!
うぁ
戻《もど》った所《ところ》で貴方《あなた》に何《なに》が出来《でき》るんですか
戦《たたか》う力《ちから》も無《な》いクセに!!!
…んだよ
なら なんで生《い》きろなんて言《い》うんだよっ
オレなんか守《まも》ったって何《なに》も出来《でき》やしねぇのに
………そうですね
この国《くに》を救《すく》う事《こと》は出来《でき》ないかもしれません
でも

わずか一厘《いちりん》でも望《のぞ》みがあるのなら私《わたし》は貴方《あなた》を守《まも》ります
皆《みんな》そう思《おも》ってるからこそ

命《いのち》をかけて戦《たたか》ってるんです
ガタ
さぁ 若《わか》 こちらへ
ここは？
この道《みち》を行《い》けば町《まち》へ出《で》ます
人《ひと》の多《おお》い所《とこ》へ行《い》けば奴等《やつら》も…
若様《わかさま》!!

…心《ここ》…乃《の》
心《ここ》乃《の》…

なんだ子供《こども》じゃねぇか
構《かま》わん皆殺《みなごろ》しにせよとの上《うえ》からの命令《めいれい》だ
心乃《ここの》…心乃《ここの》
は…
生《い》きて…
笑顔《えがお》の咲《さ》き誇《ほこ》る国《くに》
創《つく》って下《くだ》さいね…

ねえ…
父上《ちちうえ》…
伴蔵《はんぞう》…もう貴様《きさま》一人《ひとり》しか
残《のこ》っておらぬぞ

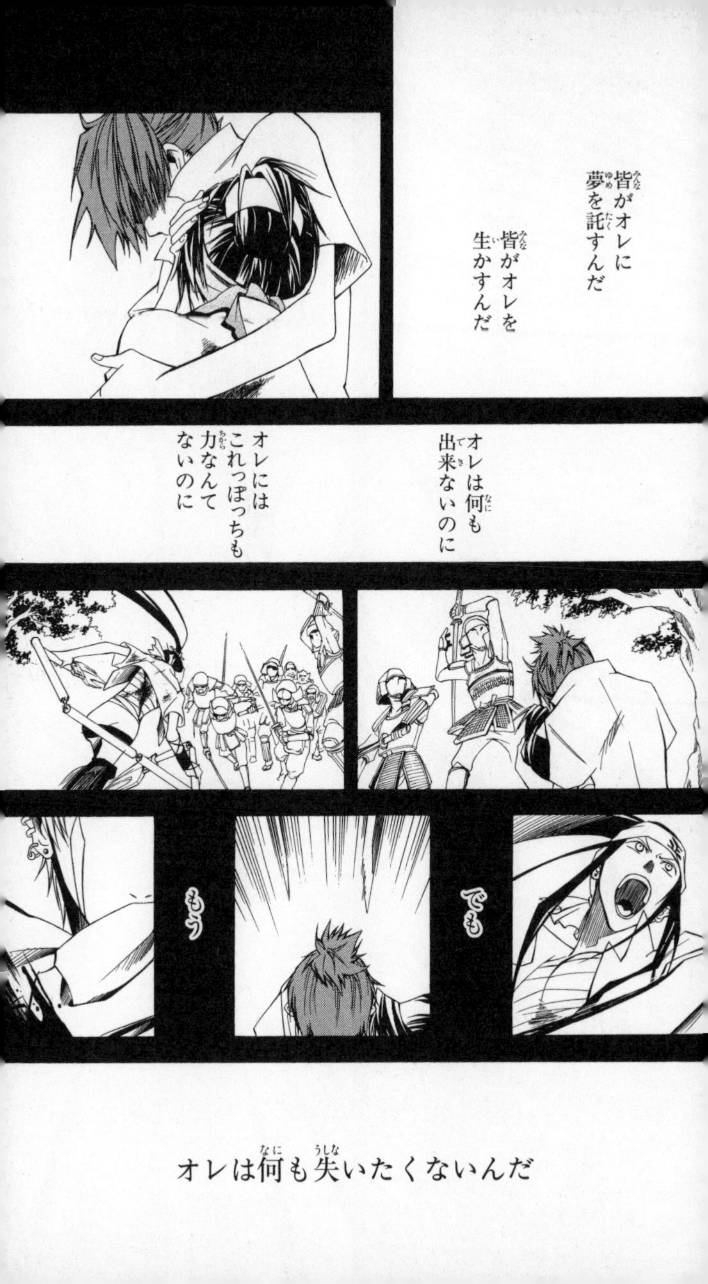
皆《みんな》がオレに夢《ゆめ》を託《たく》すんだ
皆《みんな》がオレを生《い》かすんだ
オレは何《なに》も出来《でき》ないのに
オレにはこれっぽっちも力《ちから》なんてないのに
でも
もう
オレは何《なに》も失《うしな》いたくないんだ

ハァ..ハァ...

!?
!?
焔《ほのお》が…
なんだ…!?

鳳《ほう》凰《おう》…
だが伴蔵《はんぞう》私《わたし》はこう思《おも》うのだ
息子《むすこ》は戦《たたか》いに向《む》かず優《やさ》しい
そのあやつを羽根《はね》が選《えら》んだのは戦《いくさ》とは別《べつ》のもっと大《おお》きな

運命《うんめい》のためではないかとな

大賀動乱記

由那。当時14さい
らしい。
12～15という年代は大賀が一番かきたくい年です。
単なる画力のなさですね
すみません。

ななわ

年末進行という呪いにかかっていたのとは全く関係なく
赤い血潮がたくさんとんでいて
本当に申し訳ないです。しょぼん。
「スプラッタはもういいです」とか
「空の笑顔がうさんくさい」とか
言われたとか言われなかったとか…。

戦《いくさ》が終《お》わりし後《のち》も
この命《いのち》 滅《ほろ》ぶまで
貴方様《あなたさま》に捧《ささ》げます
謀反《むほん》だアアア
城内《じょうない》の者《もの》は全《すべ》て
羽根衆《はねしゅう》の手《て》に…
『もう何《なに》も 失《うしな》いたくないんだ』
第《だい》八話《わ》 咲《さ》きし夢《ゆめ》

伊《い》瀬《せ》
鈴《すず》伽《か》山《さん》 山《さん》中《ちゅう》
ドッ
ドガッ
ドドザァッ
そろそろ終《お》わりにするか?
まだだ…

懐《なつ》かしいな
拙者《せっしゃ》も昔《むかし》は
ここ鈴伽山《すずかさん》で
修行《しゅぎょう》したものだ
ガン…
ガン…
第《だい》八話《わ》 咲《さ》きし夢《ゆめ》
知《し》ってるか？
忍術《にんじゅつ》の起源《きげん》は
鈴伽山系《すずかさんけい》で
生《う》まれた
山岳戦術《さんがくせんじゅつ》なんだ
ガン…
ガン…
ガッ
ガッ
はっ
はっ
ガッ
ガッ
……
いつまで
続《つづ》ける気《き》だ
いざという
時《とき》のために
強《つよ》くなる事《こと》に
反対《はんたい》はしねぇが
決《き》まってる

空達《カラたち》を殺《ころ》すまでだ あの裏切者《うらぎりもの》全員《ぜんいん》を…!!!
喰《く》え
そして 笑《わら》え
そんな 獣《けもの》じみた眼《め》をさせるために皆《みんな》がお前《め》えを生《い》かした訳《わけ》じゃねぇよ
お前《め》えの笑顔《えがお》と…

バシャシャッ
ガララン
笑《わら》え…だ?
こんな状況《じょうきょう》で笑《わら》ってられんのはよっぽどのバカか死羽根《しにばね》ぐらいだぜ
オレには
死羽根《ヤツら》を殺《ころ》す
力《ちから》がいるんだ

修行《しゅぎょう》の邪魔《じゃま》だ
なら 尚更《なおさら》 修行《しゅぎょう》なんざ 無意味《むいみ》なんじゃ ねぇのかい？
いくら拳《こぶし》を 鍛《きた》えたところで 羽根《はね》は羽根《はね》でしか 倒《たお》せねぇ
それともお前《めえ》の 左胸《ひだりむね》に宿《やど》した 十三番目《じゅうさんばんめ》の羽根《はね》を 使《つか》うのか？
…あれ以来《いらい》
一度《いちど》も 発動《はつどう》していない 神刀《しんとう》を
余計《よけい》な お世話《せわ》だ 力《ちから》を貸《か》す気《き》が ないなら消《き》えろ

家保公《いえやすこう》…
あ奴《やつ》は 笑顔《えがお》を 捨《す》ててしまいましたよ…
あるのは…
空達《カラたち》十二将《じゅうにしょう》への
復讐心《ふくしゅうしん》のみ…
拙者《せっしゃ》には戦《たたか》い方《かた》を教《おし》える事《こと》しか出来《でき》ない
自身《じしん》を取《と》り戻《もど》すには自身《じしん》で気付《きづ》くしかない…
違《ちが》うか? 若《わか》…

ぽよーん
ほんわぁ～
げそ
うつひょうひょお♡
絶景《ぜっけい》かな♡
絶景《ぜっけい》かな♡
クスクス
たまにゃ人里《ひとざと》に降《お》りねえと毎日修行《まいにちしゅぎょう》じゃ気《き》が滅入《めい》るだろ
おねーさーん 拙者《せっしゃ》と一緒《いっしょ》にお茶《ちゃ》しなーい？
ハトトトト
ハアハアハア
そしてその後《あと》で一緒《いっしょ》に熱《あつ》い風呂《ふろ》に入《はい》って拙者特製《せっしゃとくせい》の飯《めし》を喰《く》って共《とも》に熱《あつ》い夜《よる》をむかえなーい？もう拙者色《せっしゃいろ》んな事《こと》しちゃうから愛《あい》もいっぱ～
妄想止まらない
ハアハア
酒《さけ》と塩《しお》と味噌《みそ》だろ さっさと買《か》って帰《かえ》るぞ

何《なん》だ?
?
ああ…
〝徳河軍《とくがわぐん》〟に村《むら》や町《まち》を追《お》われた流民《るみん》だろう
ぞろ
ぞろ
空《カラ》は先《さき》の大乱《たいらん》で敵《てき》だった大名《だいみょう》や豪族《ごうぞく》を一族郎党《いちぞくろうとう》皆殺《みなごろ》しにしている
それで荒《あ》れた領地《りょうち》から逃《に》げて来《き》たんだ
……
買《か》い出《だ》しは拙者《せっしゃ》が行《い》くしばらくはのんびりしていろ
え?あっ おいっ
タンッ

ガン…
ガッ
伴蔵《はんぞう》遅《おそ》いな…
ガッ
さ 出《で》てった 出《で》てった
ガッ
こんな大勢《おおぜい》が住《す》みつける程《ほど》大《おお》きな村《むら》ではないんじゃ
他《ほか》に行《い》く所《ところ》が無《な》いんです 徳河軍《とくがわぐん》に追《お》われていて
それを この村《むら》に持《も》ち込《こ》むなと言《い》っておるんじゃ!!!
大乱《たいらん》で徳河《とくがわ》の敵《てき》となったのがそもそもの始《はじ》まり 自業自得《じごうじとく》じゃろうて!!!
私《わたし》は敵対《てきたい》した大名達《だいみょうたち》を罰《ばっ》する気《き》はない

大乱《たいらん》が終《お》わって尚《なお》
血《ち》を流《なが》し続《つづ》ければ
天下泰平《てんかたいへい》など
夢《ゆめ》のまた夢《ゆめ》
力《ちから》と恐怖《きょうふ》ではなく
信《しん》と誠《まこと》で
人《ひと》と人《ひと》とが
手《て》を取《と》り合《あ》って
真《しん》の
平和《へいわ》の世《よ》を
創《つく》り
上《あ》げるんだ
あいつの
せいだ…
オレ達《たち》の夢《ゆめ》を
壊《こわ》しやがって
全部《ぜんぶ》…
空《あいつ》が…
お前《まえ》ら
やめ…
チャンチャカチャン♪♪

さーて
さてさて御一同《ごいちどう》
ぽぉん
小難《こむずか》しい話《はなし》はそこまでよ♡
せちがらいかな
乱世《らんせ》の世《よ》の中《なか》
シャンシャン
されど上《うえ》には日《ひ》の光《ひかり》
右《みぎ》も左《ひだり》も真《ま》っ暗闇《くらやみ》よ
チャカチャカ
チィンチィン
ならば下《した》には何《なに》がある♪

人人人人《ひとひとひとひと》 人《ひと》の顔《かお》♪ 泣《な》くがよいか 笑《わら》うがよいか♬
チャンチャカ シャンシャン
チン シャンシャン
泣《な》くより 笑《わら》うが よかろうや♡
アンタが言《い》うな
だ…誰《だれ》じゃ？ あのじじいは
旅芸人《たびげいにん》だとか… 途中《とちゅう》で一緒《いっしょ》になったんだ
ほれほれ 童《わっぱ》も一緒《いっしょ》に♡♡
ぽぉ
え？
オレ…？

ボッ
ぶおっ
ふおっふおっ
ふおっふおお
ほっ
るっ
おふぉう
ほほーう
こりゃ失敗《しっぱい》
失敗《しっぱい》♪
ずぼんっ
クスクス
ぷ…

あっはっはっはっはっ
……
何《なん》だ…これ…
あっはっはっ
はっはっ
いやはや
思《おも》いがけず
大《おお》ウケだ
礼《れい》を言《い》うぞ
童《わっぱ》
ふおっふおっ

皆《みな》帰《かえ》る所《とろ》を失《な》くして沈《しず》んでおるし
せめてもの気晴《きば》らしになれば良《よ》いが
……
ぱんぱん
何《なに》やら言《い》いたそうぢゃの
…別《べつ》に…何《なに》が楽《たの》しくてそんなに笑《わら》ってられんのかって思《おも》ってるだけだ
ほっほー 芸人《げいにん》は笑《わら》ってなんぼぢゃて
そーゆー童《わっぱ》は暗《くら》いのぉ
まるでこの世《よ》の絶望《ぜつぼう》を一身《いっしん》に背負《せお》っているようぢゃ
いかん いかんぞぉ もっと笑《わら》わにゃ

ほれ 童《わっぱ》♡
ぽぉん!!
シュパッ
ほ?
ぽてッ
お前《まえ》と違《ちが》って オレにはやらなきゃ ならねぇ事《こと》が あるんだ
二度《にど》とオレの前《まえ》で ヘラヘラするんじゃ ねぇよ
お前《まえ》も 殺《ころ》すぞ

三羽《みつば》の紋《もん》…
徳河《とくがわ》か
空《カラ》め…
こんな所《ところ》まで
軍《ぐん》を進《すす》めて
きやがって

伴蔵《はんぞう》
何《なに》やってんだ…
!?
な…
先程《さきほど》の刀《かな》さばきといいやはり…
貴様《きさま》こそワシが捜《さが》していた男《おとこ》
何《なん》だと?
!?

すきゅ
今《いま》からワシの童《わっぱ》は弟子《でし》ぢゃ♡
はあ？
ずる…
そーぢゃのぉ名前《なまえ》はぁ
ワシが動鎮《どうちん》ぢゃから
おい…ジジイ…コラ…
ゴゴゴゴゴ
動鎮《どうちん》
視野《びじょん》
動乱《どうらん》だ
キュピーン

ちょっとマテーー!!
何《なん》でオレがお前《まえ》の弟子《でし》……
つーか 勝手《かって》に名前《なまえ》決《き》めんなァ!!
師匠《ししょう》って呼《よ》んで♡
何だ動乱って
呼《よ》ぶかー!!!
なになにワシの投《な》げる小刀《こがたな》をよければいいだけの事《こと》
スラッ
ほ? もしかしてよける自信《じしん》がないのかの?
ぷぷ～
……
んな事《こた》ぁ朝《あさ》メシ前《まえ》だぜ

ちーーーーん
皆様《みなさま》ーー 我《わ》が助手《じょしゅ》動乱君《どうらんくん》に拍手《はくしゅ》〜〜〜
パチ パチ
ワー!!
おおー!!!
ゼーハー
ゼーハー
オレはっ 動乱《どうらん》じゃねぇっ つってんだろがっ
はー
はー
オレの名前《なまえ》はっ
名前《なまえ》…っ は…
まーまー ほら これで汗《あせ》でも拭《ふ》きなさい
ワシが拭《ふ》いた後《あと》ぢゃがの
ほく ほく
いるかー!!
ぺち!!
ワシの汗《あせ》は花《はな》の香《かお》りぢゃぞぉ
……
?

その傷《きず》…
見《み》ちゃイヤン♡
きゃっ♡
げそ
おえ
ほっほ 古《ふる》い戦傷《いくさきず》ぢゃて
元侍《もとざむらい》か お前《まえ》
ふおっふおっふおっ ただの侍《さむらい》ではないぞ
小大名《しょうだいみょう》ながらも 一国一城《いっこくいちじょう》の主《あるじ》だったのぢゃ 動乱《どうらん》
動乱《どうらん》じゃないって 言《い》ってるだろ
だったって 何《なん》だよ

ぽん…
どうちんの
だいどうげ
今《いま》や天下《てんか》を制《せい》した徳川家《とくがわけ》に敗《やぶ》れてな
家臣《かしん》や領民《りょうみん》の安全《あんぜん》と引《ひ》き換《か》えに野《や》に下《くだ》ったんだよ
徳川《とくがわ》もなぁ… あの頃《ころ》は情義《じょうぎ》あふれる存在《そんざい》だったが…
家保公《いえやすこう》に何《なに》かあったのかのぉ
父《ちち》う…
?
家保公《いえやすこう》が… 全《すべ》てを… 奪《うば》ったのか…
ふぉっふぉっ いやいや 違《ちが》う
何《なん》というか…
あれぢゃ 夢《ゆめ》を託《たく》したと いうヤツぢゃ
夢《ゆめ》…?

大乱《たいらん》を終《お》わらせ
民《みな》が笑《わら》って
暮《く》らせる世《よ》の中《なか》を
創《つく》り上《あ》げる事《こと》ぢゃ
世間《せけん》は広《ひろ》いの
同《おな》じような事《こと》を
考《かんが》える大名《だいみょう》が
居《い》るとは
ほっほー
何《なん》で…
自分《じぶん》でやらないんだ?
力不足《ちからぶそく》ぢゃ
どんな理想《りそう》も
力《ちから》が無《な》ければ
空念仏《からねんぶつ》と一緒《いっしょ》よ
家保公《いえやすこう》には
その力《ちから》があった
理想《りそう》も…
ワシより強《つよ》く
持《も》っていたと
思《おも》った…がの
動乱《どうらん》
忘《わす》れては
いかんぞ
…っ オレは
動乱《どうらん》じゃね…

力《ちから》の無《な》い理想《りそう》は無力《むりょく》ぢゃが
理想《りそう》の無《な》い力《ちから》はただの暴力《ぼうりょく》ぢゃ
お前《まえ》がそれを忘《わす》れてはならん
……オレの…力《ちから》は…
?
!?
きゃあああ

徳川軍《とくがわぐん》である!!
今日《きょう》よりこの里《さと》は
徳川直轄《とくがわちょっかつ》となる!!!
そして
もう一《ひと》つ
隣国《りんごく》よりの
逃亡者《とうぼうしゃ》はみな
反逆《はんぎゃく》の罪《つみ》により
死罪《しざい》とする!!
ま…
待《ま》って下《くだ》さい
そんな…
徳川《とくがわ》に
楯突《たてつ》く
気《き》かァ!!
村長《そんちょう》さん
ギャあああああ!!

くっ いかん
皆《みんな》早《はや》く
逃《に》げるんぢゃ!!
ワァァ
きゃあああっ
ワァァ
キャァァァ
血《ち》…だ…
ドクッ

殺《ころ》してやる!!!!
お前《まえ》ら全員《ぜんいん》オレが殺《ころ》す!!!

ガッ
はっはっは
ガキが楯突《たてつ》こうなんて100年《ねん》早《はや》いんだよ
まだだぁ
動乱《どうらん》っ 何《なに》をしてる 早《はや》く逃《に》げるんじゃ
ガッ
放《はな》せ!!
お前《まえ》の力《ちから》では無理《むり》ぢゃ
オレが行《い》かなきゃ
力《ちから》…
皆殺せ!!
羽根《はね》…
?
空達《アイツら》と同《おな》じ…力《ちから》…
あの時《とき》 空《カラ》に刺《さ》された刹那《せつな》 守《まも》り袋《ぶくろ》に入《い》れていた羽根玉《はねだま》が体内《たいない》に吸収《きゅうしゅう》されたらしい
お前《め》えが命《いのち》を取《と》り留《と》めたのは そのためだ

動乱《どうらん》
あるんなら出《で》ろよォ!!
オレに…っ力《ちから》を…!!
出《で》てよ
早《はや》く…
アイツらを殺《ころ》さねぇと
また皆《みんな》が…
オレはもう誰《だれ》も失《うしな》いたくないのに
アイツらを

アイツを殺《ころ》す
力《ちから》をくれよ!!
!?
落《お》ち着《つ》かんか
バカ者《もの》!!
お前《まえ》が
求《もと》めているのは
ただの暴力《ぼうりょく》ぢゃ
親父様《おやじさま》から
一体《いったい》 何《なに》を
学《まな》んだのぢゃ

……
親父様《おやじさま》…って
ワシには
国一《くにひと》つ守《まも》る
力《ちから》はなかった
ぢゃから せめて
目《め》に映《うつ》る人々《ひとびと》を
幸《しあわ》せにすべく
大道芸《だいどうげい》を
始《はじ》めたのぢゃよ
おっおい
待《ま》て
ガッ
チィン…
ザッ
何《なん》だ?
まさか…

ぱっ
東西《とざい》 東《とく》〜西《ざい》
お集《あつ》まりの徳河軍《とくがわぐん》に
つたない芸《げい》を
お見《み》せ致《いた》しましょう
ぱたた、
何《なん》だ？
ずる
？
私《わし》の愛《あい》を♪
受《う》け取《と》って♡
ぽぉん
ぽてっ
おっ
何《なん》だ？
わっ

シャー
!!!
ドン
ぎゃー!!
何《なん》だこりゃあ
わー
こっちはムカデだ
ぎゃー
いやー!!
ドスーン
わー
うおー!!
何《なに》…
やって…
まさか
あいつ…

時《じ》間《かん》稼《かせ》ぎ…
皆《みんな》が逃《に》げるまでの…
殺《ころ》せ
射殺《いころ》せェ
ババッ
ほっ
よっ
カンカン!
ほほぅ
ドドッ!!
…っ
命《いのち》がけで逃《に》がすつもりか
赤《あか》の他人《たにん》を

わずか一厘《いちりん》でも望《のぞ》みがあるのなら
伴蔵様《はんぞうさま》は若君達《わかぎみたち》の下《もと》へ
命をかけて戦ってるんです
笑顔の咲き誇る国
創って下さいね…
皆《みんな》力《ちから》なんてなかった
それでも全力《ぜんりょく》で戦《たたか》って死《し》んでいった
何《なん》のために死《し》んだ？
オレは何《なん》のために生《い》き残《のこ》った？

てこずらせおって

思《おも》い出《だ》した

ぐあっ 熱《あつ》っ
何《なん》だ 火事《かじ》か!?
復讐《ふくしゅう》のため なんかじゃない
奪《うば》われた 夢《ゆめ》と理想《りそう》
全《すべ》ての民《たみ》が 笑《わら》って暮《く》らせる世《セ》の中《カイ》を 創《つく》り上《あ》げるために

オレは戦《たたか》う
けっ煙《けむり》と炎《ほのお》で何《なに》も見《み》えん
そこに居《い》るのは誰《だれ》だ!?
オレか?
オレは

動《どう》乱《らん》

ほっほ
かすり傷《きず》ぢゃって
ぽん
ねぇ どうして
助《たす》かったの?
誰《だれ》が助《たす》けて
くれたの?
んー
あの
家保公《いえやすこう》の後《うし》ろに
隠《かく》れていた幼子《おさなご》が…
男《おとこ》の眼《め》になったものぢゃ
いつかまた
現《あらわ》れるよ
この国《くに》 全《すべ》ての
民《たみ》の前《まえ》に

ったく 素性《すじょう》がバレなかったからよかったものを
ハデに暴《あば》れやがって
あれ?
っと
ぽろ
ぽろ
へたくそー
きゃははっ
どうやら
次《つぎ》は大丈夫《だいじょうぶ》だ
心《こころ》の闇《やみ》は晴《は》れたようだな
どうらんのだいどうげい

大賀動乱記

はちわ

ちょっとは おっさん 上手くなった
かなぁ〜〜……。

江怒《えど》
第《だい》九話《わ》 交《こう》錯《さく》の刻《とき》
以上《いじょう》が事《こと》の顛末《てんまつ》にございます
もはや御曹司《おんぞうし》は我等《われら》の障害《しょうがい》にならぬかと
十三番目《じゅうさんばんめ》の羽根《はね》は打《う》ち砕《くだ》かれたから
…か

フッ
!?
神刀《しんとう》の羽根《はね》は
使《つか》い手《て》が息絶《いきた》えぬ限《かぎ》り
消《き》えはせぬ
卿等《けいら》が見《み》たのは
単《たん》なる〝脱皮《だっぴ》〟

羽根《はね》は精神《こころ》のあり様《よう》によってその形状《けいじょう》も力《ちから》も進化《しんか》する
さながら 幼虫《ようちゅう》が蛹《さなぎ》へ蛹《さなぎ》から蝶《ちょう》へ羽化《うか》する様《よう》に
御曹司《おんぞうし》の羽根《はね》は卿等《けいら》の力《ちから》に耐《た》えかねて砕《くだ》けたのではない
御曹司《おんぞうし》の力《ちから》に耐《た》えかねて砕《くだ》け散《ち》ったのだ
彼《か》の者《もの》の奥底《おくそこ》に眠《ねむ》る力《ちから》にな
では…

焼《や》けた鋼《はがね》を打《う》ち直《なお》す様《よう》に
御曹司《おんぞうし》の羽根《はね》は再生《さいせい》を始《はじ》めているだろう
彼《か》の者《もの》の体内《たいない》でな
奴《やつ》の羽根《はね》は…まだ…ある
空《カラ》さん
オレも
強《つよ》くなりたいんだ
何《なに》か方法《ほうほう》があるんなら
闘魔《トーマ》
流雲《リュウウン》

卿等《けいら》は江怒《えど》へ参《まい》れ
暮葉《クレハ》 卿《けい》は通常通《つうじょうどお》り"門《もん》"の管理《かんり》を行《おこな》え
以上《いじょう》
ギギィ
空様《カラさま》っ 私《わたし》は如何様《いかよう》に…

時村《トキムラ》さんも
通常通《つうじょうどお》り
領内《りょうない》の統治《とうち》にでも
励《はげ》んでいれば
いいんじゃないですか？
では
バタン
御曹司《やつ》が再《ふたた》び
刃向《はむ》かってくる
徳河《とくがわ》の血《ち》を引《ひ》く
男《おとこ》が——
ボ
ボ
ボ

放《ほう》っておいていいんですか
御曹司《おんぞうし》
僕《ぼく》から見《み》ても結構《けっこう》面倒《めんどう》な存在《そんざい》になってると思《おも》いますけど
小石《こいし》が転《ころ》がった程度《ていど》で
大河《たいが》の流《なが》れは塞《せ》き止《と》められはせぬよ
…十年《じゅうねん》…
いよいよ大詰《おおづ》めですね

太古《たいこ》の古堕神《ふるおつがみ》
誰《だれ》もが知《し》らぬ
お前《まえ》の存在《そんざい》

今《いま》しばらく待《ま》つがいい
ゴオ
目覚《めざ》めの刻《とき》は近《ちか》い…

つまりは…
ぬしの羽根《はね》は新《あら》たな成長《せいちょう》をとげるため自《みずか》ら眠《ねむ》りについてるってこった
ほー
よかったよかったね動乱《どうらん》
やたら詳《くわ》しいじゃねぇか亀《かめ》の甲《こう》よりなんとやらってか
ぬしが消《き》える前《まえ》も後《あと》も調《しら》べてたんだよ元《もと》は忍《しのび》探索《たんさく》は本業《ほんぎょう》だ

南海領《なんかいりょう》
鎖岐《さぬき》
あれが次《つぎ》の国《くに》か
羽根《はね》のねぇ今《いま》死羽根《しにばね》とどう戦《たたか》うか…だな
アホウ 羽根《はね》が戻《もど》るまで戦《たたか》わせられるか
この地《ち》には羽根《はね》を目覚《めざ》めさせる"カギ"がある 目的《もくてき》はそっちだ
羽根《はね》が戻《もど》るまでは身《み》を隠《かく》せ 正体《しょうたい》がバレねぇようにな
…わかったよ
きゅっ
目立《めだ》つよ!!
逆に

ワイワイ
ガヤ
ガヤ
っと
ガッ
…ねえ…
ここって
死羽根《しにばね》の
領地《りょうち》よね……
……
ああ…
何《なん》だか…
凄《すご》いにぎやか
なんですけど…
ガヤガヤ
ワイワイ

おい 九助《きゅうすけ》 お前《まえ》がどーしても つっーから 櫓《やぐら》に上《あ》がらせるん だからな ぬかるなよ
はいっ
よぉ
何《なん》か せわしねぇなぁ これから何《なん》か あんのか？
え？ お面《めん》 かぶってるクセに 何《なに》があるか 知らないの？
明日《あした》はお祭《まつ》り 今夜《こんや》は前夜祭《ぜんやさい》だよ
オイラ でっかい 花火《はなび》上《あ》げるから 楽《たの》しみにしててね
あ
領主様《りょうしゅさま》の おなありィイー
死羽根《しにばね》か

ワァアア
暮葉《クレハ》
ここってアイツが治《おさ》めてる国《くに》だったんだ
クレハ様ー、
クレハ様ー、
でも…何《なん》か…
皆《みな》笑顔《えがお》なんですけど…
？？

いつもお疲《つか》れ様《さま》です
暮葉様《クレハさま》――
九助《きゅうすけ》体《からだ》はもういいのか？
もー大丈夫《だいじょうぶ》
オイラね暮葉様《クレハさま》のために花火《はなび》上《あ》げるんだ
お前《まえ》が？
暮葉様《クレハさま》のためにって言ってきかねーもんで
そうか…気《き》を付《つ》けてな
はい
ワァア クレハ様ーっ
ほら九助《きゅうすけ》行《い》くぞ
はぁい
驚《おどろ》いたろ死羽根《しにばね》が統治《とうち》する八魔都《やまと》の地《ち》にこんな国《くに》があるなんてな
奴《やつ》は領民《りょうみん》を弾圧《だんあつ》も迫害《はくがい》もしていない
それどころか戦《いくさ》ではぐれた家族《かぞく》を捜《さが》し集《あつ》めたり人買《ひとか》いに売《う》りとばされた子供達《ガキたち》を取《と》り返《かえ》したりしている
お陰《かげ》であの人気《にんき》だ

じゃあ… 暮葉《クレハ》って…
？
いい人《ひと》なの…？
そうであってほしい…
って所《とこ》だ
元仲間《もとなかま》として…
だが 奴等《やつら》には 一度《いちど》騙《だま》されている からな…
ま ウダウダ 言《い》うよりも 今《いま》する事《こと》を しねぇとな
ああ 全《すべ》ては羽根《はね》を 目覚《めざ》めさせて からだ
どっちみち 避《さ》けては通《とお》れん いずれは戦《たたか》う相手《あいて》
死羽根《しにばね》を倒《たお》さねぇ限《かぎ》り 江怒《えど》の結界《けっかい》も解《と》けず 空《カラ》の元《もと》へ行《い》けねぇん だからな

ドッ
キャアア
まっ待《ま》って…
待《ま》って下《くだ》せぇ
周《まわ》りに
燃《も》え移《うつ》る前《まえ》に
櫓《やぐら》を壊《こわ》すんだ
ワァアア
火薬《かやく》に
火《ひ》が…!!
全員《ぜんいん》
逃《に》げたか
ドォン

まだ せがれが
九助《きゅうすけ》が 中《なか》に 居《い》るんだ
くそっ
動乱《どうらん》
待《ま》て!!
ぶ
がっぺっ…オイ何《なに》
アホか 貴様《きさま》
死羽根《クレハ》と はち合《あ》わせすれば 戦《たたか》いは避《さ》けられん!!
羽根《はね》の無《な》い今《いま》 子供《ガキ》一人《ひとり》のために 全《すべ》てを捨《す》てる気《き》か!?

皆《みな》がぬしに託《たく》したものはもっと大《おお》き目的《もくてき》の筈《はず》だ
わかってる
わかってる…けどよ
ワァァ
キャアア
九助《きゅうすけ》ぇ…。
オイラが目《め》を離《はな》したばっかりに…
今《いま》待《ま》ってろ
暮葉《クレハ》さ…

ドン

ゴォァァァ!!
待《ま》ってろぉぉ
今《いま》行《い》くぞぉぉ
ドゴォ
ちょっ…あっ
どうしよ
おろおろ
万《まん》が一《いち》の時《とき》は
拙者《せっしゃ》が行《い》く
嬢《じょう》ちゃんは
ここに居《い》ろ
蛙《かえる》が…
火《ひ》の中《なか》に…
奴《やっ》は…

どこだぁ――
九助《きゅうすけ》え――
ボッ
うぉ――っ
あぢ――っ
何《なん》だぁ 何《なん》で
こんなに
熱《あち》いんだ――っ
ドダダダダダダダ
はっ
そっか――!!
羽根《はね》が無《ね》えって事《こと》は
火《ひ》の耐性《たいせい》0《ゼロ》だー!!
ゴオオオ
ガラガラ
水《みず》ぐれぇ
かぶってくりゃ
良《よ》かった――!!
ドオオ
オオーン
!!
っ…
階段《みち》が
ゴオオオ
ゴア!!

子供《ガキ》一人《ひとり》
救《すく》えねえで
国《くに》を救《すく》うも
あるか…
うるああああ
動《どう》ら…

ドゴォオ
動乱《どうらん》――っ

ぴょこっ
無事《ぶじ》だ———!!!
兄《あん》ちゃん ありがと

なぜ
私《わたし》の所《ところ》へ
やってきた…
?

気《き》に入《い》りませんね
空様《カラさま》は私達《わたしたち》をもっと重用《ちょうよう》すべきだと思《おも》いますが
ゴッ
そうは思《おも》いませんか白蓮《ビャクレン》
空様《カラさま》は明《あき》らかに何《なん》らかの計画《けいかく》を進《すす》めていらっしゃる
私達《わたしたち》も知《し》らない何《なに》かをだ
男《おとこ》の悋気《やきもち》はみっともないよ
何故《なぜ》それをお隠《かく》しになられる
私達《わたしたち》は同志《どうし》ではないか

さてねぇ
力《ちから》が足《た》りないと思《おも》われているのか
それとも信用《しんよう》されてないか
ありえん!!
ひっ
この私《わたし》の叡智《えいち》こそ
空様《カラさま》に必要《ひつよう》なのだ
パッ
十二将《じゅうにしょう》の誰《だれ》よりも
私達《わたしたち》…じゃなかったのかい?
で…どうする気《き》さ
あの3人《にん》も勝手《かって》に動《うご》いたのだ
少々《しょうしょう》の行動《こうどう》は許《ゆる》して下《くだ》さる筈《はず》
ひぃぃ
ああ
パチン

ギャああああ
ドバババババアアア
ジバァァン
私《わたし》がいかに有能《ゆうのう》か
空様《カラさま》もきっと おわかりになって下《くだ》さりますよ
フフフ…ハハハ
アッハッハッハッハッハ
叡智《えいち》ねぇ…
フフ…
狡猾《こうかつ》の間違《まちが》いじゃないのかい

シャー!!!
バカー!!!
ドーーン
拙者《せっしゃ》はこいつと羽根《はね》を目覚《めざ》めさせるためある所《とこ》に向《む》かう
アタシは?
並《なみ》の体力《たいりょく》じゃ行《い》けねえ所《とこ》でな
安心《あんしん》しろすぐ帰《かえ》る飯《めし》でも作《つく》って待《ま》っててくれ
そりゃ アタシは足手《あして》まといですけど――!!
こんな か弱《よわ》い女《おんな》の子《こ》を一人《ひとり》にしなくたっていいじゃない!!
ムギュー
しーん
ぽつーーん
おとなしく待《ま》ってよ…
道《みち》に迷《まよ》っても悲惨《ひさん》だし
ガサッ

へ？ は…？
暮《クレ》…葉《ハ》

きゃあ
ドサァ
貴様《きさま》
御曹司《おんぞうし》と居《い》た
女《おんな》だな
奴《やつ》は
どこだ

正直《しょうじき》に言《い》え
さもないと…
殺《ころ》す
動乱《どうらん》は…
この男にもう剣は無い
二度と立ち向かって来る事も
まだ…
羽根《はね》のねえ今《いま》死羽根《しにばね》とどう戦《たたか》うか…だな
…なさいよ…

殺《ころ》しなさいよ!!!
アタシの両親《りょうしん》はアンタ達《たち》死羽根《しにばね》と命懸《いのちが》けで戦《たたか》ったんだから
知《し》ってても言《い》うもんですかっ
アタシだって言《い》いなりになんかならない!!

何《なに》よ…どーせ あれは ただの人気《にんき》とり 何《なん》でしょ…?
結局《けっきょく》は 力《ちから》でしか 人《ひと》を動《うご》かせない 所詮《しょせん》 死羽根《しにばね》は 死羽根《しにばね》よ!!
アンタも何《なに》も変《か》わらない ただの人殺《ひとごろ》しじゃない!!
殺《ころ》しなさいよ!!
さあ!!!
…お前《まえ》も…
家族《かぞく》を殺《ころ》されたのか…
…?

私《わたし》も…
家族《かぞく》を殺《ころ》された
たった一人《ひとり》の家族《かぞく》を
仲間《なかま》を…師《し》を全《すべ》て
あの…徳川《とくがわ》に…
だから…

なー 伴蔵《はんぞう》
暮葉《クレハ》って どう思《おも》う?
どうって?
アイツ 実《じつ》は いい奴《やつ》なんじゃ ねえかってさ
むぎゅっ
いでっ
こら──!! 何《なに》すんだオイっ 殺《ころ》す気《き》か
アホウがっ 敵《てき》は 死羽根《しにばね》だぞ
ずずず…
ちょっと そう思《おも》った だけだろ
目《め》に映《うつ》るものだけを 信《しん》じるな!!
昼《ひる》の事《こと》にしても 結局《けっきょく》は子供《ガキ》を 助《たす》けたのはぬしで
暮葉《あいつ》は 何《なに》もしなかった じゃねぇか

そーなんだよ
アイツ何《なに》もしなかった
殺《や》ろうと思《おも》や出来《でき》た筈《はず》なのに

あの時《とき》 アイツと目《め》が合《あ》ったんでぇ
羽紋《アザ》が光《ひか》ってんのも見《み》えた
でも 結局《けっきょく》は羽根《はね》も発動《はつどう》させねぇで何《なに》もしなかった
オレを殺《ころ》したら抱《かか》えてるガキが真《ま》っ逆《さか》さまに落《お》ちるからか
周《まわ》りの目《め》があったからか…
そりゃオレにはわかんねぇけどよ
っと…アイツが何考《なにかんが》えてるとか何背負《なにせお》ってるとか
ウダウダ考《かんが》えんのはオレの性分《しょうぶん》じゃねぇ…けど
何《なん》か…似《に》てんだよな…
くしゃっ

十年前《じゅうねんまえ》…全《すべ》てを失《うしな》ったあの時《とき》のオレに…
オレは…暮葉《アイツ》と戦《たたか》わなきゃなんねぇのか…？

私《わたし》は動乱《ヤツ》を殺《ころ》さなければならないんだ

大賀動乱記

火に油をとくとくぐの図

きゅうわ

この回は 何故か とても
時間がかかりました。
ナゼだ。ナゼだろう。まだ不明。
死羽根が沢山出てたから？
死羽根は しっかり 丁寧に
描きたいからとかいう理由…？
それを おまけに描いてるって一体…。
え？大賀は死羽根 好きなんですか…？

好きだよ。

この地《ち》に人《ひと》が住《す》まう遥《はる》か昔《むかし》
大地《だいち》を二《ふた》つの神《かみ》が取《と》り合《あ》っていた
聖《せい》なる天神《あまつがみ》と魔《ま》の古堕神《ふるおつがみ》なる存在《そんざい》がだ
第《だい》十話《わ》 背負《せお》う者《もの》
天神《あまつがみ》は生《せい》の溢《あふ》れる世界《せかい》を創《つく》るため 古堕神《ふるおつがみ》は死《し》の溢《あふ》れる世界《せかい》を創《つく》るため
いつ始《はじ》まったかも知《し》れず いつ終《お》わるかも知《し》れぬ その戦《たたか》いは
天神《あまつがみ》が勝利《しょうり》を収《おさ》め 古堕神《ふるおつがみ》は地《ち》の底《そこ》に封《ふう》じられた
五《いつ》つの楔《くさび》に磔《はりつけ》にされてな
ってーと…
ああ… これが…

第《だい》十話《わ》 背負《せお》う者《もの》

ゴロゴロ
この古文書《こもんじょ》にはこうも書《か》かれてある
しかし 古堕神《ふるおつがみ》の恐念《きょうねん》までは封《ふう》じる事《こと》が出来《でき》ず
地《ち》の底《そこ》より吹《ふ》き出《だ》した恐念《きょうねん》はやがて生《う》まれた人間達《にんげんたち》をくるわせ
終《お》わりの見《み》えぬ戦《いくさ》を始《はじ》めさせた
!
そうだ 家保公《いえやすこう》が終《お》わらせたあの大乱《たいらん》こそが
この下《した》にいる神《かみ》の呪《のろ》いだったという訳《わけ》だ

そう考《かんが》えると
天神《あまつがみ》が神刀《しんとう》の羽根《はね》を
家保公《いえやすこう》に授《さず》けたのも
納得《なっとく》できる
戦《たたか》いを止《と》める事《こと》で
呪《のろ》いも止《と》めさせる
おつもり
だったのかもな
それを…
空《カラ》が…
ああ
だが
それだけじゃねぇ
空《カラ》は
地《ち》の底《そこ》に眠《ねむ》る
古堕神《ふるおつがみ》を
復活《ふっかつ》させる気《き》だ
何《なん》のつもりかは
知《し》らねえが
これだけは言《い》える
古堕神《ふるおつがみ》が
目覚《めざ》めれば
この国《くに》は
終《お》わる
ゴゴゴ…

うおっ
あの雷《かみなり》は天神《あまつがみ》が封印《ふういん》を維持《いじ》するため落《お》としているんだ
ピリリリッ
羽根《はね》も楔《くさび》も同《おな》じ天神《あまつがみ》の神器《じんぎ》
あの神雷《じんらい》をその身《み》に受《う》ければ神力《しんりき》によって剣《はね》の復活《ふっかつ》が早《はや》まるかもしれん
ほほー
あれを受《う》ける!!
あれを
受《う》ける…

ドオオン
あれは…まさか！
!?
くっ
あっ
待《ま》って暮葉《クレハ》さん
はっ
今《いま》聞《き》いた話《はなし》は…

消《き》えろ
私《わたし》と御曹司《おんぞうし》の戦《たたか》いに巻《ま》き込《こ》まれたくなければな
あっ
ゴゴゴゴ
ゴゴゴゴ
ぷす
ぷす
ぼーーん
失敗《しっぱい》したかな
ホゲーッ
したかなで済《す》むかオイーー!!!
まこれで神力《しんりき》の補充《ほじゅう》は出来《でき》た筈《はず》だ
あとはぬしの心一《こころひと》つ
さっさと出《だ》さねえと…
アイツは待《ま》ってくれそーにねーぜ?
ガルルルル…

暮葉《クレハ》

ここには
誰《だれ》も近付《ちかづ》けるなと
空様《カラさま》に
言《い》われている
この前《まえ》は
命令《めいれい》なき行動《こうどう》故《ゆえ》
剣《はね》を砕《くだ》くのみで
見逃《みのが》してやったが
今度《こんど》は殺《ころ》しても構《かま》うまい
光《ひかり》より
創《つく》りし
銀《ぎん》の剣《はね》
くるぞ

輪子《りんね》!!!

ま 待《ま》て 伴蔵《はんぞう》
ゴゴゴ
ちっ
!?
貴様《きさま》は後《あと》だ
今《いま》は
ヒュオッ

ドン
くっ
ドッ
ド
おいっ
何《なん》で戦《たたか》わねえ!?
だって…
暮葉《アイツ》は………
ズザザ

ビュア!!
動乱《どうらん》っ
ドッ
伴蔵《はんぞう》
……っ
…っの
アホ猿《ざる》がァ!!!
暮葉《クレハ》が民《たみ》を守《まも》って
いようがいまいが
ぬしにとっては敵《てき》だ!!
迷《まよ》うと死《し》ぬぞ!!!

黙《だま》って殺《ころ》されるつもりか
けどよ
けど…っ暮葉《アイツ》は…
オレが知《し》ってる暮葉《アイツ》は…
ギリッ
仏頂面《ぶっちょうづら》していつも とっつきにくくて
けど 本当《ホント》は弱《よわ》い者《もの》に手《て》を貸《か》してやれる
凄《すげ》ぇ優《やさ》しい奴《やつ》だったんだ
昼間《ひるま》の顔《かお》を見《み》て 思《おも》い出《だ》しちまった
だから… 空《カラ》についたのは何《なに》か…
理由《りゆう》があったんじゃねぇかって…
フ…
!?
フフフ… ハハハハハ…

アーーッ
ハッハッハッハ
ハッハッハッハ
…いい事《こと》を教《おし》えてやろう
私《わたし》が徳川軍《とくがわぐん》に入《はい》ったのは人《ひと》を殺《ころ》したかったからだ
徳川《とくがわ》の言《い》う夢《ゆめ》も理想《りそう》も信《しん》じてなどなかったし…
ここの民《たみ》の扱《あつか》いも十年前《じゅうねんまえ》の私《わたし》もただの気《き》まぐれ…戯言《ざれごと》に過《す》ぎん
なんなら今《いま》すぐこの国《くに》に住《す》む全員《ぜんいん》の首《くび》
貴様《きさま》の目《め》の前《まえ》で刎《は》ねてやろうか?

……っ
フッ
まだ信《しん》じられないって顔《かお》だな
……ならば見《み》せてやるよ そこの もう使《つか》い物《もの》にならない服部伴蔵正也《はっとりはんぞうまさなり》
まずは奴《やつ》の首《くび》から刎《は》ねてやる

ぐ…っ
ガッ
伴蔵《はんぞう》!!!
死《し》ね
犬死《いぬじ》にした
貴様《きさま》の父《ちち》と
同《おな》じく
全《すべ》てを守《まも》る
などという
愚《おろ》かな夢《ゆめ》と共《とも》にな
ゴロゴロゴ…
ビガッ

ゴオオオオオ
ザアッ
く…!!?
一体《いったい》何《なに》が…っ
…本心《ほんしん》か?
それがお前《めえ》の腹《はら》の底《そこ》から出《で》る本当《ホント》の気持《きも》ちなのか?
オオオオオ…
………
ああ…

そうかよ…
ならお前《め》えは敵《てき》だ!!

チャカチャンチャン
トチテカチャンチャン
トントコトントン
今年《ことし》もこうして
皆《みんな》が笑《わら》って
お祭《まつ》りが出来《でき》るのも
暮葉様《クレハさま》のお陰《かげ》だなー
おうっ
スッチャンチャン
暮葉様《クレハさま》まだお姿《すがた》見《み》えないね
そういえば…
九助《きゅうすけ》昼間《ひるま》のケガ大丈夫《だいじょうぶ》か？
てててて
すりむいただけだよ
…あの時《とき》の兄《にい》ちゃんどこに居《い》るのかな〜
暮葉様《クレハさま》と知《し》り合《あ》いだったみたいだな
うん
じゃあー

きっと仲《なか》良《よ》し
なんだね
凰義!!
奥義《おうぎ》!!

やめてー!!!!!
ドド
!!
杏《あん》…!?

動乱《どうらん》!!
!!
何《なん》ともねぇ…っ
それよりお前《めえ》何《なん》で
……
二人《ふたり》は
戦《たたか》っちゃ
ダメなの!!
暮葉《クレハ》さんが…
さっき…
お前《まえ》っ
話《はな》して…
くれたの…
もう…
十年《じゅうねん》以上《いじょう》
昔《むかし》の事《こと》だ…

暮葉《クレハ》姉《ねえ》ちゃーん 晃葉《こうよう》がまたー
またー？
まったく
晃葉《こうよう》ーーっ ここに居《い》るのー？
ガラッ
…お姉《ねえ》ちゃ…
えぐっ ずびびー えぐっ
おいで… また泣《な》いて怖《こわ》い夢《ゆめ》でも見《み》たの？
う…違《ちが》… 目《め》にゴミが…
バカ そんなすぐバレる嘘《うそ》つかないの また院主様《いんじゅさま》に怒《おこ》られるわよ？

どうしたの？暮葉《クレハ》
ケホ ケホ
院主様《いんじゅさま》
院主様《いんじゅさま》 起《お》きちゃダメです
フフ… ありがとう
でも今日《きょう》は 咳《せき》もあまり 出《で》ないの 天気《てんき》が いいからね
ここ光明院《こうみょういん》は 昔《むかし》 この国《くに》にあった ひなびた寺《てら》
体《からだ》の弱《よわ》い年老《としお》いた 尼僧《にそう》が一人《ひとり》で 戦《いくさ》で身内《みうち》を亡《な》くした 子供達《こどもたち》を育《そだ》てていて
私《わたし》も弟《おとうと》も その一人《ひとり》だった

ごめんなさいね 暮葉《クレハ》
年長《ねんちょう》といっても まだまだ 子供《こども》の貴女《あなた》に 苦労《くろう》ばかり かけて
そんな… 平気《へいき》です
あの子達《こたち》も
がんばって ますから
それはまだ 穫《と》っちゃダメって 言《い》っただろーっ
えー でも 大丈夫《だいじょうぶ》だよ
ダメなの!!
寺《てら》にある畑《はたけ》は 猫《ねこ》の額程《ひたいほど》
私達《わたしたち》が 生《い》きていくには どんな事《こと》でも する必要《ひつよう》があった
びえええ
晃葉《こうよう》 また泣《な》いたー
泣《な》くなよ—— う… うえええん
健太《けんた》も 泣《な》いたー

泥棒《どろぼう》ー!!!
暮葉《クレハ》どこでそれを…
院主様《いんじゅさま》っ
お店《みせ》の人《ひと》には私《わたし》が謝《あやま》っておきましょう…
院主様《いんじゅさま》が悪《わる》いんじゃありません!!
で…でも…皆《みんな》お腹《なか》をすかして…
…ごめんなさいね私《わたし》がいたらないばかりに…
ですが暮葉《クレハ》

貴女《あなた》が罪《つみ》を負《お》う事《こと》で生《い》かされてると知《し》ったら皆《みな》は喜《よろこ》ぶと思《おも》う？
忘《わす》れてならないのは一《ひと》つ
貴女《あなた》も幸《しあわ》せになるべき一人《ひとり》であるという事《こと》
…いいですね

米《こめ》と 味噌《みそ》と
豆腐《とうふ》… 忘《わす》れものはないな
でん
でんっ
おまけで貰《もら》ってしまった
いいよな己ぐらい
晃葉《こうよう》喜《よろこ》ぶかな
かなり子供だましだけど…
でんでこでん
今朝《けさ》穫《と》れた芋《いも》を蒸《ふ》かしておやつを作《つく》ってあげようかな
それとも米《こめ》と一緒《いっしょ》に炊《た》いて雑炊《ぞうすい》にでもしようか
院主様《いんじゅさま》はその方《ほう》が食《た》べやすいかもしれない
畑《はたけ》の苺《いちご》もそろそろ収穫時《しゅうかくどき》だな
皆《みんな》… 喜《よろこ》んでくれるかな…

晃葉《こうよう》っ
院主様《いんじゅさま》っ
健太《けんた》 さつき
皆《みんな》…っ
皆《みんな》どこだっ
誰《だれ》か
返事《へんじ》を…!?
晃葉《こうよう》っ
…待《ま》ってろ
今助《いまだす》けて
やるからな
今《いま》…
後《あと》で知《し》った
寺《てら》を襲《おそ》ったのは
徳河軍《とくがわぐん》で
しかもそいつらに
戯《たわむ》れに斬《き》り殺《ころ》された
と――

全《すべ》てを失《うしな》った私《わたし》は野武士《のぶし》の集団《しゅうだん》に拾《ひろ》われ戦《たたか》いの技《わざ》を身《み》につけると
やがて徳河軍《とくがわぐん》に入《はい》った
復讐《ふくしゅう》のために
そして
ぎゃあああああ
暮葉《クレハ》様《さま》っ我《われ》らは味方《みかた》
貴様《きさま》らが光明院《こうみょういん》を襲《おそ》ったのはわかっている
な…何《なん》の事《こと》です
憶《おぼ》えてもいないだろうし償《つぐな》えなどとも言《い》わない

死《し》ね!!!

謀反《むほん》？
チャポン
そうだ 誠《まこと》の世界《せかい》のため 暮葉《クレハ》
力《ちから》を貸《か》せ
正直《しょうじき》 どうでもよかった
追《お》う者《もの》を失《な》くした私《わたし》にとっては
…何《なに》をすればいい
ザァ
私《わたし》に従《したが》え そうすれば
望《のぞ》むものをやろう
ただし裏切《うらぎ》れば
望《のぞ》んだもの全《すべ》てを失《うしな》うと知《し》れ
今《いま》さら… 失《うしな》うものなど 何《なに》もない…

だが
失《うしな》うものが出来《でき》てしまった
せめてものなぐさめのはずだった
皆《みんな》への弔《とむら》いのために
この国《くに》に帰《かえ》ってきたはずが…
あたたかい声《こえ》
信頼《しんらい》の眼差《まなざ》し
二度《にど》と失《うしな》いたくない
あの男《おとこ》に従《したが》おう
この身《み》を地獄《じごく》に堕《お》としても…

だからって二人《ふたり》が…
戦《たたか》う必要《ひつよう》なんてない
こんなの間違《まちが》ってるよ
動乱《どうらん》も暮葉《クレハ》さんも守《まも》ってるのは一緒《いっしょ》なのに!!!
だまれ
…互《たが》いにすべき事《こと》は
わかっている
私《わたし》が貴様《きさま》を殺《ころ》さねば空様《カラさま》は私《わたし》を処罰《しょばつ》しこの国《くに》を消《け》し去《さ》るだろう
そして貴様《きさま》は私《わたし》を殺《ころ》さねば空様《カラさま》へは辿《たど》り着《つ》けない

違《ちが》うか？
私《わたし》は迷《まよ》わん!!!
行《い》くぞ
貴女《あなた》が罪《つみ》を負《お》う事《こと》で
皆《みんな》が喜《よろこ》ぶと思《おも》う？
まだ子供《こども》だったのに
なぜ若君《わかぎみ》を殺《ころ》したんですか!?
やめ…
奥義《おうぎ》
ビュア

なぜ戦《たたか》わない!!
戦《たたか》え!!!
オレが謝《あやま》ったって何《なん》にもならねぇけど

すまねぇ
だ…黙《だま》れ…
けどよ

それで お前《めえ》は いいのか？
死《し》んだ奴等《やつら》が 望《のぞ》んでたのは お前《めえ》が罪《つみ》を 背負《せお》う事《こと》なのか？
守《まも》れなかった事《こと》を たった一人《ひとり》で 悔《く》やみ続《つづ》ける事《こと》なのか？
ここの連中《れんちゅう》に したって 本当《ホント》に お前《めえ》の事《こと》が 好《す》きなんだぜ？

黙《だま》れ…
そのお前《め》ぇが苦《くる》しんでる事《こと》を知《し》って
それで皆《みんな》は幸《しあわ》せなのか?
それでお前《め》ぇは幸《しあわ》せなのかよ
『貴女《あなた》も幸《しあわ》せに…』
黙《だま》れぇ

オオオーン
町《まち》が…
ゴォオオ
ワァァ
キャァアア
ワーッ
九助《きゅうすけ》ーー!!
ゲホ
父《とう》ちゃ…っ

3咲《さ》きし夢《ゆめ》(完《かん》)

大賀動乱記

じゅうわ

大賀はベタが出来ません。

途中までベタをぬって
「後、お願いします。キャラのまわりは1ミリあけで」とお願いした所
「はい。でもこれ、1ミリあいてませんよ。」
と言われる始末。 い…いや…体力ある時はちゃんとぬれるんだよ…ほら
あの時はしめ切り当日で
精神がアレだっただけで…
あああ…仕事ふやしちゃってスミマセン。

ようこそ
死羽根
相談所
Vol.3
皆様《みなさま》 健全《けんぜん》な性生活《せいせいかつ》は おくれていますか？ 案内人《あんないにん》の由那《ユナ》です
前回《ぜんかい》 質問《しつもん》を募集《ぼしゅう》した所《ところ》 何《なん》だか集《あつ》まって しまいましたので
今回《こんかい》は アシスタントその②の 闘魔君《トーマくん》と共《とも》に おおくりしていきますね
ケっ
めやすばこ ありがとう
それにしても こんな所《とこ》にお葉書《はがき》 下《くだ》さるなんて そーとー暇《ひま》な方《かた》か ありえないぐらい 心《こころ》の豊《ゆた》かな方《かた》か どちらかですよねー
今月の標語 強行
てめぇよ 『ありがとう』ぐらい 素直《すなお》に言えねぇのかァ？ このクソタレ目《め》が
闘魔君《トーマくん》 二度《にど》と僕《ぼく》に そんな口叩《くちたた》かないで下《くだ》さい 次《つぎ》は
殺《ころ》します
にっこり
貴方《あなた》に 言われたくありません
……
ありがとうございます 賀

では 闘魔《トーマ》くんが答《こた》えられそうな質問《しつもん》をいきますね
"動乱《どうらん》"の第五話《だいごわ》回想時《かいそうじ》にいる八《はち》の字《じ》眉毛《まゆげ》くんは吉岡充《よしおかみつる》さんですか?
あー多分《たぶん》よくは知《し》らねーけどクソ虎《トラ》のトコに居《い》た奴《やつ》だよなってか よく気付《きづ》いたな
闘魔《トーマ》くんの身長《しんちょう》はいくつですか?
6尺《しゃく》(180cm《センチ》)前後《ぜんご》
闘魔《トーマ》くんの髪《かみ》の毛《け》と目《め》の色《いろ》は?
髪《かみ》は黒《くろ》で耳《みみ》の後《うし》ろんトコが金《きん》目《め》は
出《だ》して下《くだ》さい
あ?
しっかり確認《かくにん》したいので机《つくえ》の上《うえ》に置《お》いて下《くだ》さい眼球《がんきゅう》
さぁ早《はや》く!!
ドンッ
え? あ? ちょ…は?
もう仕方《しかた》ありませんねー
じゃあえぐり出《だ》すお手伝《てつだ》いをしてあげますね
コキキッ
仲良《なかよ》せんとおえんでー
その他のご質問は次ページへ!!
アシ②
あげますね じゃねえー!!!
動《うご》かないで間違《まちが》えて心《しん》の臓《ぞう》をえぐり出《だ》しちゃうかもしれませんから
殺《や》る気満々《きまんまん》じゃねえか——!!!

ようこそ死羽根詰所

何《なん》で動乱《どうらん》は大道芸《だいどうげい》が上手《じょうず》になったんですか？

「ういーっす！ この巻《かん》を読《よ》んでくれりゃ
わかるかも知《し》んねぇけど、そーゆー理由《りゆう》で始《はじ》めて
ま、努力《とりょく》と才能《さいのう》と心意気《こころいき》の表《あらわ》れだな！」

「友達《ともだち》が居《い》ないから
それしかする事《こと》が無《な》かっただけなんじゃないですか？」

死羽根《しにばね》の人達《ひとたち》が集《あつ》まる江怒城《えどじょう》の
映像機械《えいぞうきかい》みたいなのって何《なん》なんですか？

「あれは八魔都《やまと》の地図型《ちずがた》に水《みず》が張《は》ってて
その上《うえ》に水晶《すいしょう》みてぇな玉《たま》が浮《う》かんでんだ。
中央《ちゅうおう》に座《すわ》ってるアイツ→の呪文《じゅもん》で玉《たま》の上《うえ》に
オレらがどこに居《い》ても映《うつ》る仕組《しくみ》らしーぜ。
お互《たが》いに玉《たま》を持《も》ってりゃ呪文《じゅもん》なしでも大丈夫《だいじょうぶ》みてぇだ。」

第六話《だいわ》で闘魔《トーマ》、暮葉《クレハ》、流雲《リュウウン》の三人《さんにん》が風《かぜ》に乗《の》って
消《き》えましたが、あの後《あと》どうなったんですか？

「ワシの風移動《かぜいどう》は正確《せいかく》じゃけぇ
ちゃーんと皆《みんな》を自分《じぶん》の領地《りょうち》に送《おく》ったぞ。」

「ほー、って事《こと》はオレが海《うみ》のド真《ま》ん中《なか》に
落《お》っこちたのは、ありゃワザとって訳《わけ》か」

「……たまには失敗《しっぱい》する事《こと》もあるけぇ…」

由那《ユナ》ちゃんは髪《かみ》をキレイにピンで止《と》めていますが
自分《じぶん》でやってるんですか？

「空様《カラさま》にしてもらってます。と言《い》いたい所《ところ》ですが
自分《じぶん》でしてますよ」

動乱《どうらん》の好《この》みのタイプを教《おし》えて下《くだ》さい

「うお！ そんなコト聞《き》くってコトは、オレにホレてんな？
ぎゃっはっはっ！ どーんと来《こ》い!!
オレにホレてる奴全員《やつぜんいん》が、オレの好《この》みのタイプだ！」

「ゴホン…
この国《くに》を救《すく》う者《もの》として、もう少《すこ》し節度《せつど》のある
物言《ものい》いをしてもらいたいものだ」

「…とっ…虎兄《とらに》ぃー!!!」

「あまりお二人《ふたり》の掛《か》け合《あ》いはしないで下《くだ》さいね。
色々《いろいろ》と問題《もんだい》がありますから。」

虎兄《トラジ》さんの好《この》みのタイプを教《おし》えて下《くだ》さい

「あまり考《かんが》えた事《こと》は無《な》いが…
己《おのれ》に正直《しょうじき》で自分《じぶん》の信念《しんねん》をしっかりと持《も》つ。
男女《だんじょ》問《と》わず、そういった生《い》き方《かた》をしている者《もの》の事《こと》を
某《それがし》は敬愛《けいあい》している。」

「そーだな。でも己《おのれ》に正直《しょうじき》で信念《しんねん》のままに
人《ひと》の頭《あたま》を平気《へいき》で殴《なぐ》るのはちょっと考《かんが》えものだけどな。」

『怒《ど》』

「殺気《さっき》が…」

沢山《たくさん》のお手紙《てがみ》、いただきもの
心《こころ》より感謝致《かんしゃいた》します

慈炉様《さま》　亡骸様《さま》
雪佳様《さま》　麗奈様《さま》
日々絵画考様《さま》　柏餅様《さま》
動乱のすべてが大好き様《さま》
智子様《さま》（チョコありがとうございます由）

次回最終回《じかいさいしゅうかい》のようこそ死羽根相談所《しにばねそうだんじょ》は
あの方《かた》をお迎《むか》えしたスペシャルとなっております。

動乱 3

(7.8.9.10)

☆感謝

大谷 紀子
加島 節子
鈴木 涼子
高橋 まどか
滝沢 いづみ
大内 冬樹
ホタカミノル

☆超感謝

今まで
出会った人達

☆超メガトン感謝

今ここを
見てくれているアナタ

〈次巻予告〉
数多の想いが交錯し、
全てが終幕へ向け動き出す―
この楔《くさび》の
ひとつ
府《ふ》の
●店頭にない場合は
書店にご注文ください。
●インターネットでも
集英社のコミックスが購入出来ます。
書店受け取りなら送料無料！
http://www.s-manga.net/

ネオ時代劇 剣術バトルアクション!
動乱《どうらん》 DOHRAN 4【完結】
原作:松元 桜　漫画:大賀浅木
空を中心に描かれた死羽根衆のアナザーストーリー!!
作者渾身の大量描き下ろしにて掲載!!
2007年秋頃発売予定!!

■ジャンプ・コミックス

動乱

3咲きし夢

2007年5月7日　第1刷発行

著　者　松　元　　桜
©Sakura Matsumoto　2007

大　賀　浅　木
©Asagi Ohga　2007

編　集　ホ　ー　ム　社
東京都千代田区一ツ橋2丁目5番10号
〒101-8050
電話　東京　03(5211)2651

発行人　鳥　嶋　和　彦

発行所　株式会社　集英社
東京都千代田区一ツ橋2丁目5番10号
〒101-8050
03(3230)6231(編集部)
電話　東京　03(3230)6191(販売部)
03(3230)6076(読者係)
Printed in Japan

印刷所　共同印刷株式会社

ISBN978-4-08-874361-5　C9979